THE WEE BOOK O' NAPPER-NIPPIN' PUZZLES

A CIP record of this book is available from the British Library.

Paperback ISBN 978-1-913237-06-6

First published in the UK in 2021 by The Wee Book Company Ltd.

Printed and bound by Bell & Bain Ltd, Glasgow.

NAPPER-NIPPIN' PUZZLES

The thing aboot daein' puzzles
Is they leave ye a' befuddled
But they keep yer wee brain tickin'
While ye're thumpin' up the thinkin'.

Come up wi' answers fur yer quizzes
Yer crosswurd puzzles too
Best find tha' lost wee pencil
Ye've got wurdsearches tae do!

Park yer erse, get busy
It's time tae focus noo
It's yer ain wee bit o' quiet time
Ye know it's guid fur you!

Enjoy yer Wee Book, wee pal.

Orrabest!

FILL IN THAE BLANKS!

FIND A WURD THA' MEANS THE SAME

1. ***Breeks***

2. ***Carefoo***

3. ***Rotten, gone bad***

4. ***Wha' big gadgies dae wi' a caber***

5. ***An angel's opposite number***

6. ***Nae young***

7. ***Stinkin'***

8. ***An awfy thirst***

*Answers oan page **78***

HAGGIS – TRUE OR FALSE?

1. ***Haggis hurlin' is recognised as an actual sport.***

2. ***MacSween's made the wurld's biggest haggis in the year 2000. It weighed the size o' a chock-a-block foo wheelie bin.***

3. ***In 2003, a study revealed tha' o'er hauf o' American visitors tae Scotland thoct tha' a haggis wus a real animal.***

4. ***The maist haggis is sold in America, an' nae in Scotland.***

5. ***The wurd 'haggis' is an ancient gaelic wurd meanin' 'guid-tastin' scran'.***

6. ***The plural o' haggis is haggese.***

7. ***In 1787, haggis became Scotland's national dish efter Robert Burns wrote the poem, 'Address To A Haggis'.***

Answers oan page **78**

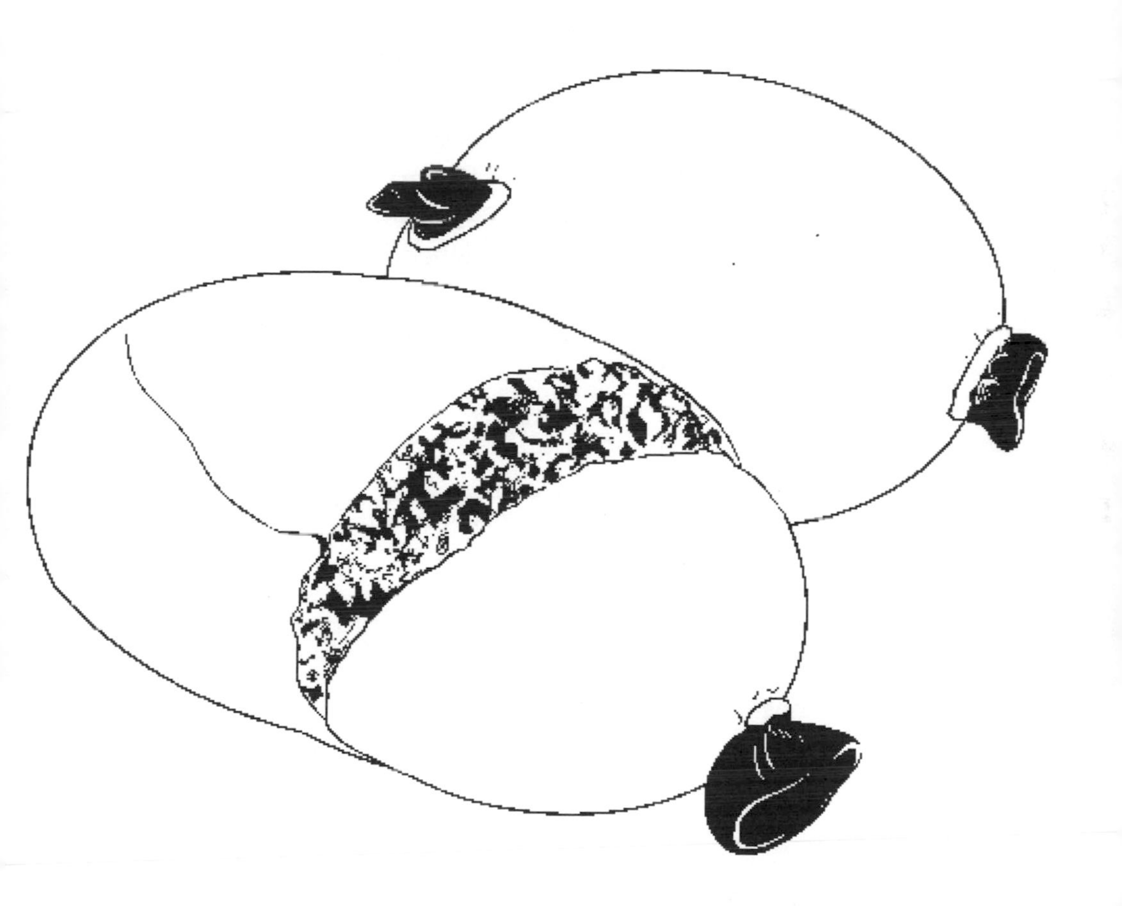

WHO SAID THA'?

In Scotland, there is no such thing as bad weather. Only the wrong clothes.

Glasgow is a very negative place. If Kanye was born in Glasgow he would have been called No Ye Kanye!

Edinburgh and Glasgow: same country, very different cities. In Edinburgh, when a gun goes off, it's one o'clock.

One minute you're sitting on your couch watching the show and wishing you could do it, and the next moment you're on that stage!

Swearing is industry language. For as long as we're alive it's not going to change. You've got to be boisterous to get results!

Answers oan page ***79***

WURD FIT
LOCHS O' SCOTLAND

Ashie

Assynt

Katrine

Lochy

Lomond

Maree

Morar

Ness

Answers oan page ***80***

UNFANKLE THE FANKLE!

UNFANKLE THE NAMES O' THE FITBA' TEAMS

CCELIT ....

INERNAIHB ....

RGENASR ....

TREHA FO NHITOMALDI ....

EANERDBE ....

CIOLRKMKNA ....

TS TNHOOSJNE ....

EOWLTLMRHE ....

ENVRSINSE ADLIAECONN TLHETSI ....

ORSS OTUYNC ....

EEUNDD IUTEDN ....

*Answers oan page **81***

WHICH WURD OR PHRASE HUS TWA MEANIN'S?

1. ***A jab in the ribs – a paper bag***
2. ***A toaty wee bit o' tartan – a wee sleekit peek***
3. ***A dirty fitba' player – sumwan planted six feet unner***
4. ***Sumthin' nae easy tae find – sumthin' pure dead brilliant***
5. ***Whit ye dae when ye carry sumthin' awfy heavy – sumthin' thit ye couldnae hear withoot***
6. ***Thon noise o' rain oan yer corrugated iron roof – yon jabber thit jist stinks***
7. ***Posh folk think thit fancy wine's this – the constant answer tae y'allright, pal?***
8. ***Whit ye've jist done tae the garden – the wee scabby thing next door***
9. ***This is whit ye're oan when ye're winchin' – it's whit ye dae with the light switch in the cludgie***
10. ***This is whit ye've get yer wellies stuck in – whit ye've jist dropped wan in***

Answers oan page ***81***

FIGURE IT OOT WHA'S THE WURD?

_ _ _ _ _ _ _

Ma furst is in KEGS an' it's in BREEKS tae

Ma second is in HOACHIN' an' it's in CHOCK-A-BLOCK tae

Ma third is in DOSH an' it's in SPONDOOLICKS tae

Ma fourth is in ROPEY but it's no' in YARN

Ma fifth is in GALLUS but it's no' in LALDIE

Ma sixth is in SKELP an' it's in LUG tae

Ma seventh is in JAMMY an' it's in LUCKY tae

Answers oan page **81**

CROSSWURD – IT'S A' ABOOT THE SCRAN

ACROSS

5. ***Mince's best pals***
6. ***Yer fav'rite sugary sweetie***
8. ***Oatmeal an' onions tha' soonds lik' the bagpipes***
10. ***White sliced***
11. ***Tatties cooked wi' yer Maw's left o'ers***

DOWN

1. ***Yer fav'rite steamed puddin'***
2. ***The perfect wee crunchie biccie wi' yer tea***
3. ***A'body's fav'rite pie***
4. ***Hardy orange veggies***
7. ***Yer Da's fav'rite sauce***
9. ***Sum luv tae tell tales tha' it lives oan the hills.***

*Answers oan page **82***

FURRYBOOTS ARE YE FRAE?

POLO MINT CITY
THE FERRY
BABY BRIGGS
KILLIE
GRANITE CITY
THE BROCH
GALA
SUNNY DUNNIE
LANG TOON
INVERSHNECKY
AULD REEKIE
GLASGAE

Answers oan page ***83***

D S A M E Z U I O S X S U Q M Y L O U K Z F Q K

O U X O I T V M D W S M L R L X D E O K F Z R X

K E Z B L B E A V F N T W R G L C M F G P O A O

V L S C L Z Y D U B F E U Q U P X X P B Y W L Z

Y H U V I N E P Z X U S G B L Z C M O V K W A A

U Y I N K Q B H Y T I C E T I N A R G Z W G G S

R T V N M K E C V R I V F J X R G N D V U G X F

Q Z J C G G E O B X F E Q K U C G C C L J T F F

S E X U G P O L O M I N T C I T Y Z C K V I X U

H F H A U L D R E E K I E Z U H O G G R O Y W O

A B B R N E U M Y L P O B A I F B I X K E K O G

L A N G T O O N O M V T O D G R Y N Z T T E D S

B K S T C L T E R C H Q S G Z S G N D T I P M E

F T S G G I R B Y B A B F J U A A J U N T I N Z

L Y E D P Z T B V Z M L L K O B J L N A Y O O G

D I N V E R S H N E C K Y A Y C Z U G B X Z L X

Z R I T S D V A L U T Y R U G M D B C Z K U L E

A C C E E O R A T F K I S K J Y R N H K V N L T

N V U I E I A C F J L S H K N I E X F L O M B D

A G M M S W W A S I L J A N C V D L H E I M Z B

C T B K T K E M I F E B U H Y L S S K K E J W N

G Y E C E E O S O F X S P Q A P O E K P N V B G

Q M O B V A T M U O H C O R B E H T Z I T T Z I

N Z V L V F D T H E F E R R Y Q Z X H S A W O D

SUSAN COHEN

WHERE WUS THE CAPITAL O' SCOTLAND AFORE EDINBURGH?

Answers oan page ***84***

WHO SAID THA'?

I have always hated that damn James Bond. I'd like to kill him.

I've been waiting nearly twenty years to have my own light sabre. Nothing's cooler than being a Jedi Knight.

Writing is about culture and should be about everything. That's what makes it what it is.

Don't be ashamed of what makes you happy. Don't let others ruin your joy by making what you like seem unworthy of appeal. And if you are a lemon, stop ruining people's fun!

I still think most writers are just kids who refuse to grow up. We're still playing imaginary games with our imaginary friends.

I wasn't going to be an actor. I was going to be a lawyer.

*Answers oan page **84***

UNFANKLE THE FANKLE!

UNFANKLE THE NAMES O' THE SCOTTISH RIVERS

EDEWT ....

YCEDL ....

YSEP ....

HTORF ....

AYT ....

EED ....

SSEN ....

NOIHNRDF ....

CRITEKT ....

SEISOL ....

Answers oan page ***84***

FIGURE IT OOT WHA'S THE WURD?

_ _ _ _ _

Ma first is in QUEEN but no' in PRINCESS

Ma second is in NUMPTY but no' in BAWHEID

Ma third is in GRANNIES but no' in GRANDPAS

Ma fourth is in BONNIE but no' in BRAW

Ma fifth is in PURE DEID BRILLIANT but no' in STOATIN'

Answers oan page ***84***

THE BROONS TRIVIA

1. ***Who created The Broons?***
2. ***When wur The Broons 'born'?***
3. ***Which members o' The Broons family joined the army durin' World War II?***
4. ***Who's considered tae be the maist mature, level-headed member o' the family?***
5. ***Who's the brains o' the family?***
6. ***Who's ever hopeful o' finding a 'click'?***
7. ***Who's nivver seen withoot her make-up?***
8. ***Who are considered foo' o' mischief?***
9. ***Who hus a big walrus moustache?***
10. ***Where dae the Broons live?***
11. ***Where dae the Broons go oan their holidays?***

*Answers oan page **84***

FILL IN THAE BLANKS!

1. ***A richt muddle, a richt auld mess!***
2. ***A muckle great party***
3. ***Really stinkin'***
4. ***Really dirty***
5. ***Silly person***
6. ***Really silly person***
7. ***Lucky***
8. ***Sharp-tongued***

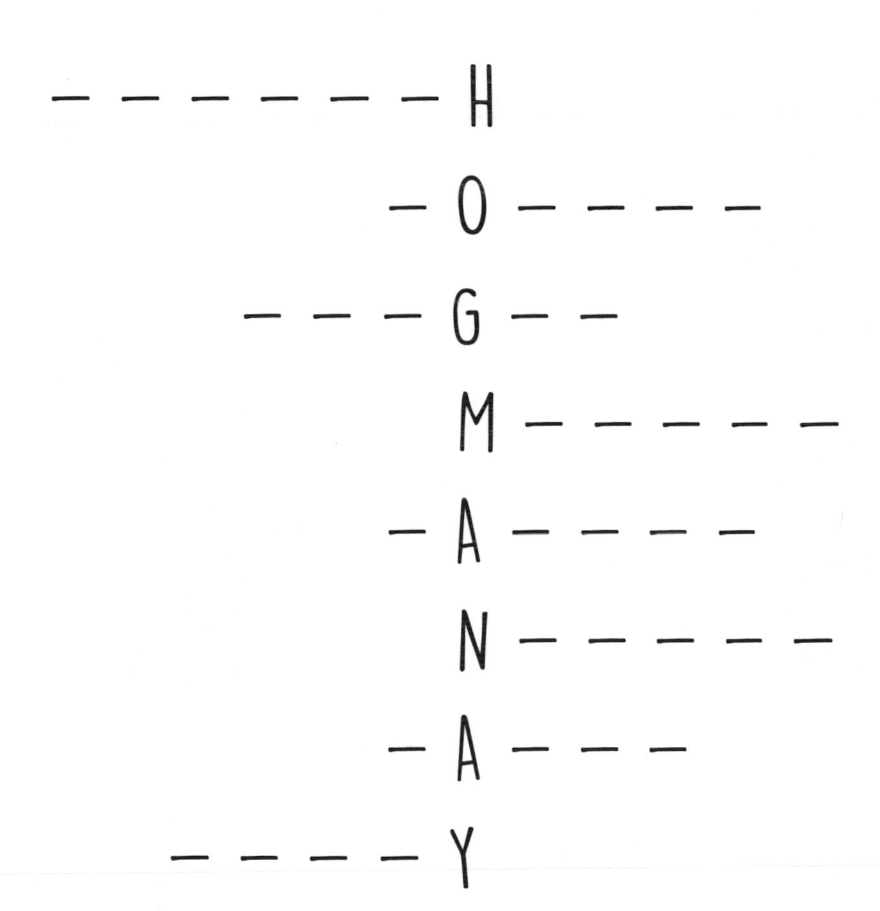

Answers oan page ***85***

MORAG IS THE MONSTER O' WHICH SCOTTISH LOCH?

*Answers oan page **85***

MATCH THE TOON TAE THE SCRAN!

Edinburgh	***mornin' roll***
Forfar	***black puddin'***
Cullen	***marmalade***
Selkirk	***rock***
Finnan	***bridie***
Stornoway	***smokie***
Abroath	***haddie***
Dundee	***Angus***
Aberdeen	***skink***
Glasgow	***bannock***

Answers oan page ***85***

WHA' IS THE MAIST EXPENSIVE FOOD FOUND IN SCOTLAND?

A WEE LAFF!

A MAN WALKS INTAE A SCOTTISH BAKERY AND POINTS TO SOMETHING DISPLAYED IN THE WINDOW ...

Is that a scone or a meringue?

Naw, ye're richt. It's a scone!

A WOMAN WALKS INTAE A SHOE SHOP ...

Ah'd lik' tae return this pair o' shoes. There's a lace missin'

Naw, look a' the label! It says 'Taiwan'.

FIGURE IT OOT WHA'S THE WURD?

_ _ _ _ _ _

Ma first is in GRANDPA but no' in yer DA

Ma second is in ma UNCLE ARCHIE but no' in ma UNCLE SHUG

Ma third is in DUNDERHEID but no' in BAMPOT

Ma fourth is in GALLUS but no' in BRAVEHEART

Ma fifth is in KILT but no' in SPORRAN

Ma sixth is in EEJIT but no' in NUMPTY

*Answers oan page **85***

EFFECTS O' THE SWALLY

TROLLIED
SLOSHED
BLOOTERED
STEAMIN'
HAUF CUT
WASTED
OOT YER TREE
RUBBERED
BLADDERED
MAD WAE IT
PIE EYED

Answers oan page ***86***

D C V O Q C V I H B W F I T Z A E E P E H Y W Q
G Z C M I D Y U K M A G E N M D X P I E L P D C
B G V C B F W I A W Y O A C E O F D K R C A O Q
L Q H K M T A J N K I C B R R N B O S L Z X R U
A Q J P B P S D G P U F E K Q H C V P D M J Q H
D Q B U G T T P S Z I T I D O K A R G K G Y C T
D I J W H O E D S V O E W V T Q Z O B R I N Z U
E W M F E G D V E O P A E X J X U E Z S U S S C
R C V Z I U S L L R O Q S Y K Y J L B Y B C V F
E B L Y X U G B V I E K G S E O P S K C A J V U
D D E M E U M A X I M B N G S D I B P F Q E C A
E V J D T O E W E L E A B X O N T N H N I D Q H
U R N D Z Q B U X E B W D U V C T Q T S N U L X
V A Z L D E S Y R Y D E H I R I I I S H I O K F
T F R H B V D T N C S V P W E K Q J Z V M J O G
R J N M M U R P E A A Y L A G K T T Z G A F P P
Y I L B W E V K U V N R W P F H H C K T E D K X
E K E V Y S Y A N H X D E F D X J P B R T W M V
E E G T S S L F F A A T I V U Y C S O O S D G T
T M O X S R X D Y M P E X K L V E F T L G N W I
V O I S O L P C Y U Q E K H W G K M O L K N G P
J P G Y A E Q Z Y X C L G P X S J B L I Q F E O
J U D E H S O L S X X N M V T C G S Z E G A T L
J J G K N N D X X E W H I M T W S I G D O U L E

CASTLE CROSSWURD

ACROSS

5. ***Which castle's said tae huv inspired Walt Disney's pink castle?***
7. ***Which castle did thae Monty Python gadgies film The Holy Grail a'?***
9. ***In 1542, where wus Mary Queen o' Scots born?***
10. ***Which castle is kent as 'the ship that never sailed?***

DOWN

1. ***Which castle can Nessie see when she's daein' the front crawl?***
2. ***Wha's Scotland's muckle great biggest castle?***
3. ***In which castle is the cannon, 'Mons Meg' kept?***
4. ***In an' aroond which castle did Mel Gibson film scenes in 'Hamlet?***
6. ***Wha's Scotland's auldest castle?***
8. ***Which castle inspired thon Bram Stoker tae write Dracula?***

Answers oan page **87**

1
2
3
4
5
6
7
8
9
10

SUSAN COHEN

WHICH SCOTTISH COUNTY IS A BOY'S NAME?

*Answers oan page **88***

MATCH THE FIBTA' TEAMS TAE THEIR NICKNAMES

1. ***Arbroath FC***
2. ***Ayr United FC***
3. ***Cowdenbeath FC***
4. ***Falkirk FC***
5. ***Forfar Athletic FC***
6. ***Montrose FC***
7. ***Partick Thistle FC***
8. ***Queen's Park FC***
9. ***Stenhousemuir FC***
10. ***Stirling Albion FC***

A. ***The Bairns***
B. ***The Binos***
C. ***The Loons***
D. ***The Red Lichties***
E. ***The Warriors***
F. ***The Spiders***
G. ***The Honest Men***
H. ***The Blue Brazil***
I. ***The Jags***
J. ***The Gable Endies***

Answers oan page **88**

FILL IN THAE BLANKS YER GRANNIES' SAYIN'S

She's aw fur coats an' nae _ _ _ _ _ _ _ _ !

Thon yin's got a tongue tha' cuid clip _ _ _ _ _ !

Fly wi' the _ _ _ _ _, get shot wi' the _ _ _ _ _!

If ye keep the heid, sumwan will buy ye a _ _ _ _ _ _!

It's no' the gleam in yer e'en, it's the tilt in yer _ _ _ _!

Ah'm no' as green as ah'm _ _ _ _ _ _ _ lookin'!

Haud yer _ _ _ _ _ _ _!

It goes roond yer heart lik' a furry _ _ _ _!

Save yer breath tae cool yer _ _ _ _ _ _ _ _!

Penny wise an' pound _ _ _ _ _ _ _!

Answers oan page **88**

TARTAN TRIVIA

1. ***Which departed mega-star hus no' wan, no' twa but three tartans tae his name?***
2. ***Which tartan travelled tae the moon?***
3. ***Wha's the wurld's maist expensive tartan?***
4. ***Wha' is the wurld's auldest tartan?***
5. ***How did 'Tartan Day' start?***
6. ***Who is the only ither approved wearer o' the Balmoral tartan, ither than the Queen an' members o' the Royal family?***

Answers oan page **88**

WHICH WURD HUS TWA MEANIN'S?

1. ***Sumthin' thit's fandabedozeee – sumthin' thit a wummin wears tae firm up her hooty mac boobs***
2. ***The wee gadgie frae Ultravox – the wee beastie thit bites ye oan the erse***
3. ***Christmas cards are foo o' them – sumthin' ye're daein' when ye stub yer big tae***
4. ***A region in Northern Europe – chuffin' freezin'***
5. ***Sumwan wi' orange hair – sumthin' ye drink doon when ye've git the drouth***
6. ***Sumthin' ye huv wi' yer tatties – sum shite yer pal talks efter a dram or twa***
7. ***A sarnie – a bitty o' sumthin'***
8. ***Pure dead brilliant – splittin' doon the middle***
9. ***Fair puggled – broken doon***
10. ***Dead cool – o' a high standard***

Answers oan page ***89***

FIGURE IT OOT WHA'S THE WURD?

_ _ _ _ _ _ _

Ma furst is in GADGIE but no' in MANNIE

Ma second is in BRAW but no' in STOATIN'

Ma third is in SCOFF but no' in SCRAN

Ma fourth is in BAMPOT but no' in BAWHEID

Ma fifth in is BAHOOKIE but no' in ARSE

Ma sixth is in CRABBIT but no' in SCUNNERED

Ma seventh is in PATTER but no' in PISH

Answers oan page **90**

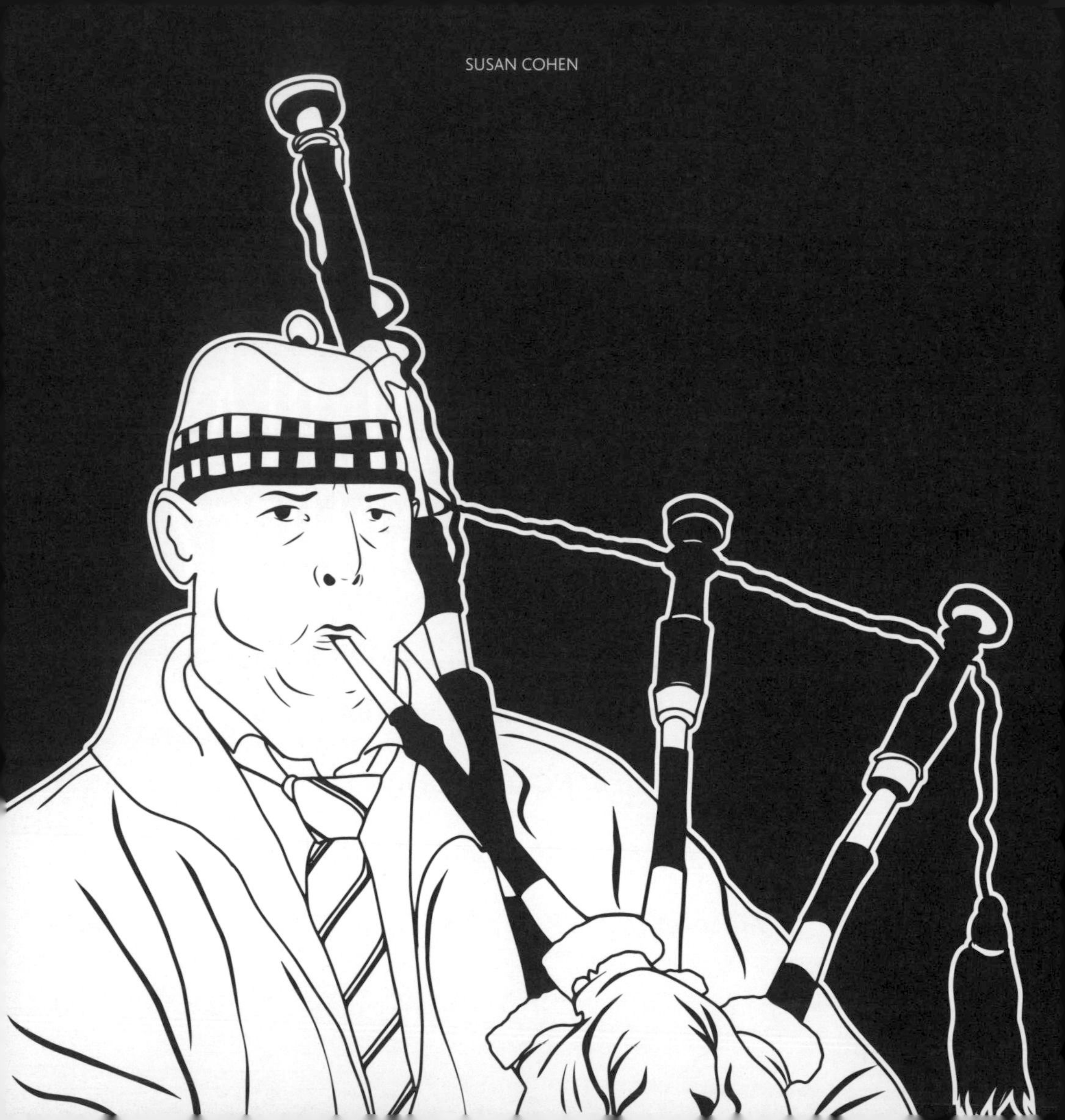
SUSAN COHEN

WHA' ARE THE HIGHEST AN' LOWEST NOTES YE CAN PLAY OAN THE BAGPIPES?

*Answers oan page **90***

SWEETIES CROSSWURD

ACROSS

3. ***Yer Maw's Maw's fav'rites***
7. ***A'body kens their family recipe's the best***
8. ***Ally Bally's fav'rite***
9. ***The very dab***

DOWN

1. ***Foam tha' comes in a tin***
2. ***Ivrybody's furst taste o' coconut***
4. ***Oooyah nippy wee fruit***
5. ***Cubes o' fizzy drink***
6. ***Cinnamon-covert veggies***

*Answers oan page **91***

1
2
3
4
5
6
7
8
9

TUNNOCK'S – TRUE OR FALSE?

1. *Tunnock's wus formed by Thomas Tunnock in 1890, when he purchased a baker's shop in Lorne Place, Uddingston.*
2. *The company wus originally bought fur jist £80.*
3. *Since 2005, Tunnock's has sponsored the Braemar Heighlan' Games.*
4. *Jist o'er 2 million Tunnock's caramel wafers are sold ivry week.*
5. *Tunnock's teacakes are wrapped in yellow an' silver foil paper.*
6. *Dancin' teacakes featured in the openin' ceremony o' the Commonwealth Games in 2014.*
7. *The only difference between a Tunnocks tea cake an' a snowball is tha' a snowball hus nae biscuit base.*
8. *The University o' St Andrews hus a Tunnock's Caramel Wafer Appreciation Society, founded in 1982.*

*Answers oan page **92***

THE HEIGHLAN' GAMES TRIVIA

1. ***Wha' big steel baw is thrown by thae big heavyweight athletes frae unner their chins?***
2. ***Wha's the biggest Heighlan' Gatherin' in Scotland?***
3. ***In which event are 95% o' the competitors female?***
4. ***Which Heighlan' Gatherin' is attended by the Royals ivry year?***
5. ***A' which Heighlan' Games is the Wurld Championship Haggis Eatin' Competition held ivry year?***
6. ***Whaur's the biggest Heighlan' Gatherin' in the wurld, ootside Scotland?***

Answers oan page **93**

WURDSEARCH – SCOTTISH DANCES

DASHIN WHITE SERGEANT
SLOSH
GAY GORDONS
EIGHTSOME REEL
HOKEY COKEY
HIGHLAND FLING
ST BERNARDS WALTZ
SWORD DANCE
SAILORS HORNPIPE
CANADIAN BARN DANCE
STRIP THE WILLOW

*Answers oan page **94***

F Q O Y Q Q B W D W U X V C J G M Y R D H X B N

Y W D M T V O O O C H W A T N H D I U T W I Z S

B P E X N K D X X P T Q T I L W E F I Z X F I G

N N C M T Z Q Q G J E Q L P D V H F I E T R Y W

F J N G P P V U Y U T F E L E G T X E G I E E L

N D A N G T S C H Z D H Q T E O L R G S K D F K

K A D H S T B E R N A R D S W A L T Z O Y B R H

D S N Y S A T R A C Z Y T Z E W L V C B S P O G

G H R L H M S L B P Z U O V K M Q Y J H F W E J

A I A D R S H J F Q E J X X I G E K E B M S P V

Y N B K V G O J P R L Z L P T K V C I X W N I O

G W N L I T U L Z Q A I M S O O W A G P V W P B

O H A H N Y L P S V I O O H S G S X H R D K N W

R I I L W O L L I W E H T P I R T S T N B O R N

D T D E G M H D P S L A O W H W N X S A M B O F

O E A B D X U E L V W T C K M W F F O P G Y H D

N S N J K O X L C J V O D B U X X D M C Y C S V

S E A I U S S O R A F V R M L K D O E K C P R E

L R C U M Y Z R Q E S Y G D A Y Q V R P S V O P

B G Z Y K J L V B Z P D N G D C V P E P L S L W

R E F R D D L I R C G O B D C A T W E B W M I I

U A R N Z E C X B J P N S C F I N G L W D D A M

K N V H D R B D D L F U C F R M F C K L A S S Q

X T F A J C R K F Z G H I C H A G J E W V M Z E

A WEE MUSIC QUESTION OR TWA ...

1. ***Who are Charlie an' Craig?***
2. ***Which band wus Annie Lennox wan hauf o'?***
3. ***How mony notes can the bagpipes play?***
4. ***Which pipe band is the maist successful a' the World Pipe Band Championships?***
5. ***When it comes tae Number 1's in the charts, who's the maist successful Scot?***
6. ***Wha' wus the name o' the Krankies' only album?***
7. ***Which Scottish country dance musician recorded mair tracks than the Beatles and Elvis Presley combined?***
8. ***Wha's the name o' the traditional haund held drum o' the Celts?***

Answers oan page ***95***

WHA'S THE SONG? READ THE FURST FEW LINES (OR MEBBES YE CANNAE HELP BUT SING?)

1. ***Hark when the night is falling***
Hear! hear the pipes are calling,

2.*Oh the summertime is coming*
And the trees are sweetly blooming

3. ***Just got in from the Isle of Skye***
I'm not very big and I'm awful shy

4. ***You know I need your love, you got that hold over me***
Long as I got your love, you know that I'll never leave

5. *I got the card, delivers the goods*
Fills me with happiness

6. ***Walked in the cold air***
Freezing breath on a window pane

7. ***There's a man I meet walks up our street***
He's a worker for the council

8. *Baby, you've been going so crazy*
Lately, nothing seems to be going right

9. ***Our little dog is six years old, and he's smart as any damn kid***
But when you mention the V.E.T. he damn near flips his lid

10. *Ma heart wus broken.*
Ma heart wus broken.

11. ***I've never seen you look like this without a reason***
Another promise fallen through another season passes by you

12. *If you hate me after what I say*
Can't put it off any longer

13. ***Won't you come see about me?***
I'll be alone, dancing you know it baby

Answers oan page ***95***

PUT THAE PLACES IN ORDER O' RUDENESS

- *Assloss, Ayrshire*
- *Backside, Aberdeenshire*
- *Ballownie, Angus*
- *Bladda, Paisley*
- *Boghead, Ayrshire*
- *Boysack, Angus*
- *Brokenwind, Aberdeenshire*
- *Butt of Lewis, Hebrides*
- *East Breast, Inverclyde*
- *Fannyfield, Ross and Cromarty*
- *Fattiehead, Banffshire*
- *Hill o' Many Stanes*
- *Inchbare, Angus*
- *Inchinnan Drive, Renfrewshire*
- *Inchmore, Aberdeenshire*
- *Stripeside, Banffshire*
- *Tarty, Aberdeenshire*
- *Twatt, Orkney*

*Answers oan page **95***

NOO FUR SOME ANSWERS TAE THAE NAPPER NIPPIN' PUZZLES

Frae page 5
SCOTLAND

Frae page 5
FILL IN THAE BLANKS!

1. *KEGS*
2. *CANNY*
3. *FOOSTY*
4. *TOSS*
5. *DEIL*
6. *AULD*
7. *MINGIN'*
8. *DROUTH*

Frae page 6
HAGGIS – TRUE OR FALSE?

1. *TRUE: haggis hurlin' is an actual sport. In June, 2011 a gadgie cried Lorne Coltart set the record, hurlin' his haggis 217 feet. Jings!*
2. *FALSE: Hall's o' Scotland made the world's largest haggis in 2014. It weighed 2226 lbs 10 oz – aboot as heavy as a wee car!*

3. *FALSE: less than a third thocht tha' a haggis wus an animal – they're nae a' tha' dauft!*

4. *FALSE: The maist haggis is sold in England, nae America or Scotland. They say it goes doon a rare treat in the London!*

5. *FALSE: naebody's sure o' the origin o' the wurd 'haggis'! It may huv come frae an auld Norse wurd 'hoggva', meanin' tae hew, cut or hit. Mind, it may huv come frae an auld French wurd 'hachiez' meanin' 'minced meat'. Och, it might e'en huv come frae an auld French wurd 'agace' meanin' 'magpie', representin' the fact tha' magpies lik' tae collect up a' thae wee bits an' pieces. Jings! None the wiser, eh?*

6. *FALSE: The plural o' haggis is haggis or haggises.*

7. *TRUE: o' course it's true!*

Frae page 9

WHO SAID THA'?

Billy Connolly; Frankie Boyle; Kevin Bridges; Susan Boyle; Gordon Ramsay

Frae page 11

WURD FIT – LOCHS O' SCOTLAND

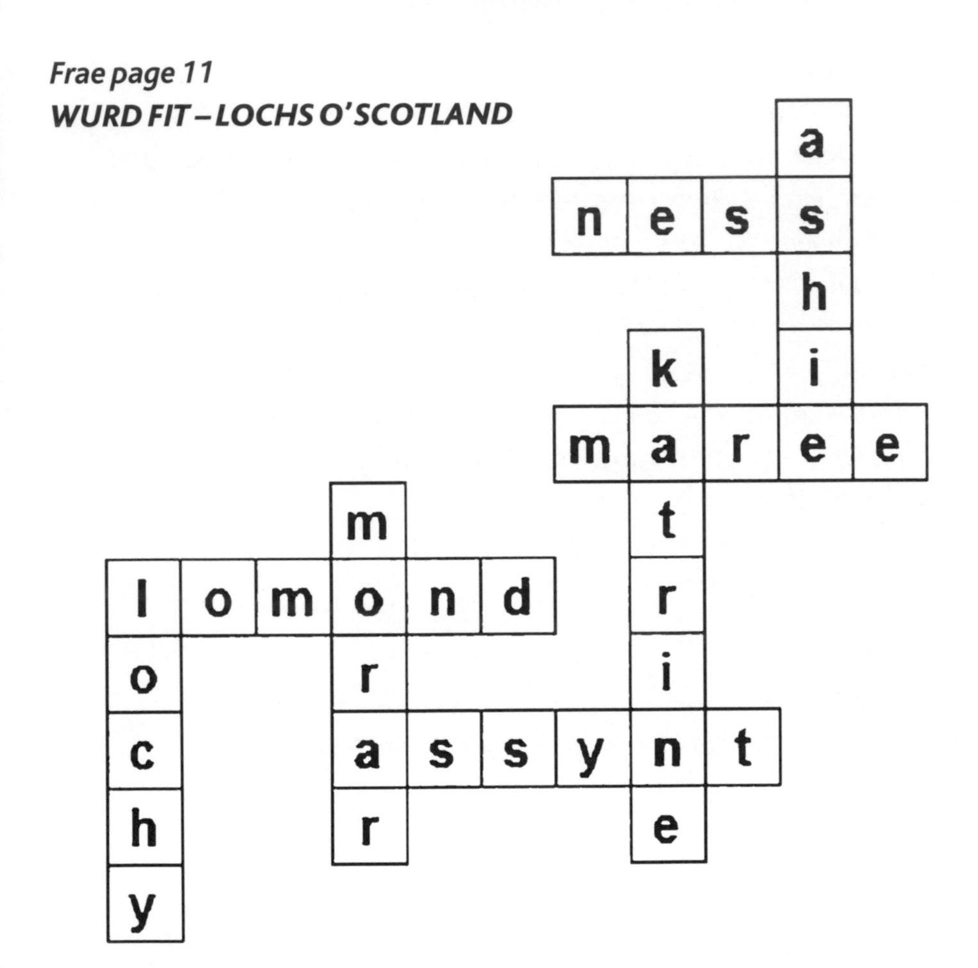

Frae page 13

UNFANKLE THE FANKLE – FITBA' TEAMS

CELTIC

HIBERNIAN

RANGERS

HEART OF MIDLOTHIAN

ABERDEEN

KILMARNOCK

ST JOHNSTONE

MOTHERWELL

INVERNESS CALEDONIAN THISTLE

ROSS COUNTY

DUNDEE UNITED

Frae page 15

TWA MEANIN'S

1. *Poke;* **2.** *Swatch;* **3.** *Oot o' the game;* **4.** *Rare;* **5.** *Lug;* **6.** *Patter;* **7.** *Fine;* **8.** *Dug;* **9.** *Pull;* **10.** *Bog*

Frae page 16

WHA'S THE WURD?

SHOOGLY

Frae page 19
IT'S A' ABOOT THE SCRAN CROSSWURD

Frae page 20

FURRYBOOTS ARE YE FRAE

D S A M E Z U I O S X S U Q M Y L O U K Z F Q K

O U X O I T V M D W S M L R L X D E O K F Z R X

K E Z B L B E A V F N T W R G L C M F G P O A O

V L S C L Z Y D U B F E U Q U P X X P B Y W L Z

Y H U V I N E P Z X U S G B L Z C M O V K W A A

U Y I N K Q B H Y T I C E T I N A R G Z W G G S

R T V N M K E C V R I V F J X R G N D V U G X F

Q Z J C G G E O B X F E Q K U C G C C L J T F F

S E X U G P O L O M I N T C I T Y Z C K V I X U

H F H A U L D R E E K I E Z U H O G G R O Y W O

A B B R N E U M Y L P O B A I F B I X K E K O G

L A N G T O O N O M V T O D G R Y N Z T T E D S

B K S T C L T E R C H Q S G Z S G N D T I P M E

F T S G G I R B Y B A B F J U A A J U N T I N Z

L Y E D P Z T B V Z M L L K O B J L N A Y O O G

D I N V E R S H N E C K Y A Y C Z U G B X Z L X

Z R I T S D V A L U T Y R U G M D B C Z K U L E

A C C E E O R A T F K I S K J Y R N H K V N L T

N V U I E I A C F J L S H K N I E X F L O M B D

A G M M S W W A S I L J A N C V D L H E I M Z B

C T B K T K E M I F E B U H Y L S S K K E J W N

G Y E C E E O S O F X S P Q A P O E K P N V B G

Q M O B V A T M U O H C O R B E H T Z I T T Z I

N Z V L V F D T H E F E R R Y Q Z X H S A W O D

Frae page 23

WHERE WUS THE CAPITAL O' SCOTLAND AFORE EDINBURGH?

Scone

Frae page 25

WHO SAID THA'?

Sean Connery; Ewan McGregor; Irvine Welsh; Susan Calman (in her book, 'Sunny Side Up'); Ian Rankin; Gerard Butler

Frae page 27

UNFANKLE THE FANKLE – RIVERS O' SCOTLAND

Tweed; Clyde; Spey; Forth; Tay; Dee; Ness; Findhorn; Ettrick; Lossie

Frae page 28

WHA'S THE WURD?

QUINE

Frae page 30

THE BROONS TRIVIA

1. *Dudley D Watkins (1907 – 1969);* **2.** *8th March, 1936 – Maw an' Paw Broon, Joe, Hen Maggie, Daphne, Horace, the Twins an' the Bairn were 'born' oan this day. Granpaw wus 'born' sum months later, in September.* **3.** *Hen an' Joe Broon;* **4.** *The Bairn;* **5.** *Horace;* **6.** *Daphne;* **7.** *Maggie;* **8.** *The Twins;*

9. *Granpaw;* **10.** *10 Glebe Street;* **11.** *But an' Ben.*

Frae page 33
HOGMANAY – FILL IN THAE BLANKS!

1. *Bourach,* **2.** *Hooley,* **3.** *Mingin,* **4.** *Maukit,* **5.** *Bampot,* **6.** *Numpty*
7. *Jammy,* **8.** *Nippy*

Frae page 35
MORAG IS THE MONSTER O' WHICH SCOTTISH LOCH?

Loch Morar

Frae page 36
MATCH THE TOON TAE THE SCRAN

Edinburgh rock, Forfar bridie, Cullen skink, Selkirk bannock, Finnan haddie, Stornoway black puddin', Arbroath smokie, Dundee marmalade, Aberdeen Angus, Glasgow mornin' roll

Frae page 37
THE MAIST EXPENSIVE FOOD?

Lobster, lobster, lobster a' the wiy.

Frae page 40
FIGURE IT OOT!

GADGIE

Frae page 42

EFFECTS O'THE SWALLY WURDSEARCH

D C V O Q C V I H B W F I T Z A E E P E H Y W Q
G Z C M I D Y U K M A G E N M **D** X P I E L P D C
B G V C B F **W** I A W Y O A C **E** O F D K R C A O Q
L Q H K M T **A** J N K I C B **R** R N B O S L Z X R U
A Q J P B P **S** D G **P** U F **E** K Q H C V P D M J Q H
D Q B U G T **T** P S Z **I** **T** I D O K A R G K G Y C **T**
D I J W H O **E** **D** S V **O** **E** W V T Q Z O B R I N Z **U**
E W M F E G **D** V **E** **O** P A **E** X J X U E Z S U S S **C**
R C V Z I U S L **L** **R** O Q S **Y** K Y J L B Y B C V **F**
E B L Y X U G **B** V I **E** K G S **E** O P S K C A J V **U**
D D E M E U M A X I M **B** N G S **D** I B P F Q E C **A**
E V J D T O E W E L **E** A **B** X O N T N H N I D Q **H**
U R N D Z Q B U X **E** B W D **U** V C **T** Q T S **N** U L X
V A Z L D E S Y **R** Y D E H I **R** **I** I I S H **I** O K F
T F R H B V D **T** N C S V P W **E** K Q J Z V **M** J O G
R J N M M U **R** P E A A Y L **A** G K T T Z G **A** F P P
Y I L B W **E** V K U V N R **W** P F H H C K **T** **E** D K X
E K E V **Y** S Y A N H X **D** E F D X J P B **R** **T** W M V
E E G **T** S S L F F A **A** T I V U Y C S O **O** **S** D G T
T M **O** X S R X D Y **M** P E X K L V E F T **L** G N W I
V **O** I S O L P C Y U Q E K H W G K M O **L** K N G P
J P G Y A E Q Z Y X C L G P X S J B L **I** Q F E O
J U **D** **E** **H** **S** **O** **L** **S** X X N M V T C G S Z **E** G A T L
J J G K N N D X X E W H I M T W S I G **D** O U L E

Frae page 44

CROSSWURD – CASTLES

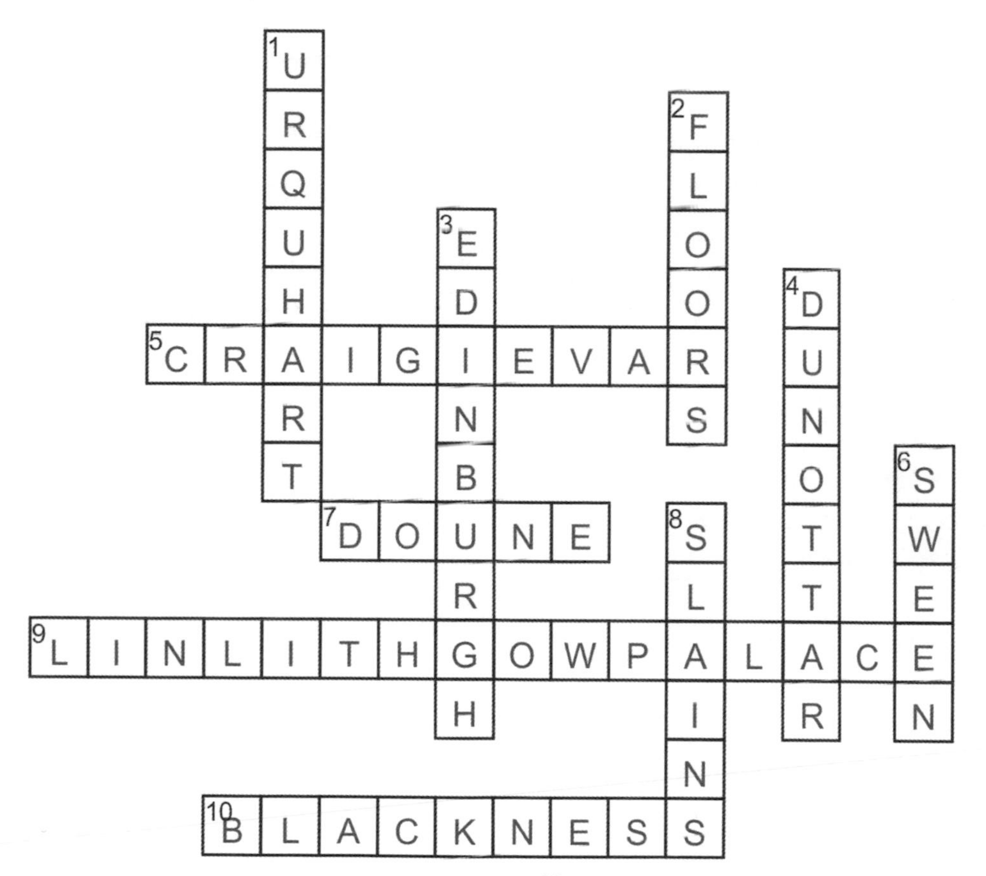

Frae page 47

WHICH SCOTTISH COUNTY IS A BOY'S NAME?

Angus

Frae page 49

NICKNAMES O' FITBA' TEAMS

1. *Arbroath – The Red Licthies;* **2.** *Ayr United – The Honest Men;*
3. *Cowdenbeath – The Blue Brazil;* **4.** *Falkirk – The Bairns;*
5. *Forfar Athletic – The Loons;* **6.** *Montrose – The Gable Endies;*
7. *Partick Thistle – The Jags;* **8.** *Queen's Park – The Spiders*
9. *Stenhousemuir – The Warriors;* **10.** *Stirling Albion – The Binos*

Frae page 51

FILL IN THAE BLANKS!

knickers, cloot, craws/craws, bunnet, kilt, cabbage, wheesht, worm, porridge, foolish

Frae page 52

TARTAN TRIVIA

1. *Elvis Presley hus three tartans tae his name. He wus said tae huv hud roots in Lonmay, Aberdeenshire an' so there wus an official Presley o' Lonmay tartan designed in his honour. The Scottish Tartan Registry also lists the*

Presley o' Memphis tartan, based oan the colours o' the American flag wi' a gold stripe, tae represent Elvis's gold discs. It e'en hus a thread coont o' 42 – the age Elvis wus when he passed away.

2. *Allan Bean, an American astronaut o' Scottish descent, took a wee bit o' MacBean tartan up tae the moon durin' the Apollo 12 mission in 1969. He took it back doon tae Earth an' donated it tae Clan MacBean an' tae the St Bean Chapel in Wester Fowlis, Perthshire.*

3. *Knitwear firm, Holland & Sherry are the creators o' the wurld's dearest tartan – a blend woven frae Mongolian cashmere tha'll cost ye £500 a square metre. Tha's aboot £5000 fur a full kilt! Mammy, Daddy, cheesey peeps!*

4. *The auldest kent tartan design is the Falkirk tartan, which dates tae roond AD245 an' wus discovered in a jar o' coins near Falkirk.*

5. *Australia an' sum ither countries celebrate Tartan Day oan July 1st, the anniversary o' the repeal o' the 1746 UK Act bannin' the wearin' o' tartan.*

6. *The Queen's personal piper.*

Frae page 54

TWA MEANIN'S

1. *Braw;* **2.** *Midge;* **3.** *Greetin';* **4.** *Baltic;* **5.** *Ginger;* **6.** *Mince*
7. *Piece;* **8.** *Crackin';* **9.** *Knackert;* **10.** *Qwality!*

Frae page 57

FIGURE IT OOT!

DROOKIT

Frae page 59

BAGPIPES – THE NOTES!

The lowest note is the G above middle C, and the highest is the A nine notes above that.

Frae Page 60
CROSSWURD – SWEETIES

1 CREAMOLA
2 MACAROON
3 GRANNYSOOKERS
4 SOORPLOOM
5 COLACUBES
6 LUCKYTATTIES
7 TABLET
8 COULTERSCANDY
9 SHERBET

Frae page 63
TUNNOCK'S – TRUE OR FALSE?

1. *TRUE: The company went oan tae expand in the 1950s when the core products wur introduced tae the lines. Thing wus tha' sugar an' fat rationin' meant tha' products wi' longer shelf-lives than cakes had tae be produced.*
2. *TRUE: a bargain! Mr Boyd Tunnock hus bin named oan the Sunday Times Rich List in recent years!*
3. *FALSE: Since 2005, Tunnocks hus sponsored the Tour of Mull, an annual car rally held on the Isle of Mull.*
4. *FALSE: The figure's mahoosive! O'er 6 million caramel wafers are sold ivry week!*
5. *FALSE: Ye've got tae know yer Tunnock's! Milk chocolate teacakes are wrapped in red an' silver foil paper. Dark chocolate teacakes are wrapped in blue, black an' gold foil paper.*
6. *TRUE: After the Commonwealth Games, sales soared by 62%!*
7. *FALSE: There's been missed oot the essential ingredient – the dessicated coconut coverin' the outside.*
8. *TRUE: Thae students know wha's guid fur them!*

Frae page 64
THE HEIGHLAN' GAMES TRIVIA

1. *Shot – puttin' the shot*
2. *Cowal Heighlan' Games, Dunoon*
3. *Heighlan' dancin'*
4. *Braemar*
5. *Birnam*
6. *Glengarry Heighlan' Games, Maxville, Ontario, Canada*

Frae page 66

SCOTTISHDANCES

F Q O Y Q Q B W D W U X V C J G M Y R D H X B N
Y W D M T V O O O C H W A T N H D I U T W I Z S
B P E X N K D X X P T Q T I L W E F I Z X F I G
N N C M T Z Q Q G J E Q L P D V H F I E T R Y W
F J N G P P V U Y U T F E L E G T X E G I E E L
N D A N G T S C H Z D H Q T E O L R G S K D F K
K A D H S T B E R N A R D S W A L T Z O Y B R H
D S N Y S A T R A C Z Y T Z E W L V C B S P O G
G H R L H M S L B P Z U O V K M Q Y J H F W E J
A I A D R S H J F Q E J X X I G E K E B M S P V
Y N B K V G O J P R L Z L P T K V C I X W N I O
G W N L I T U L Z Q A I M S O O W A G P V W P B
O H A H N Y L P S V I O O H S G S X H R D K N W
R I I L W O L L I W E H T P I R T S T N B O R N
D T D E G M H D P S L A O W H W N X S A M B O F
O E A B D X U E L V W T C K M W F F O P G Y H D
N S N J K O X L C J V O D B U X X D M C Y C S V
S E A I U S S O R A F V R M L K D O E K C P R E
L R C U M Y Z R Q E S Y G D A Y Q V R P S V O P
B G Z Y K J L V B Z P D N G D C V P E P L S L W
R E F R D D L I R C G O B D C A T W E B W M I I
U A R N Z E C X B J P N S C F I N G L W D D A M
K N V H D R B D D L F U C F R M F C K L A S S Q
X T F A J C R K F Z G H I C H A G J E W V M Z E

Frae page 68
MUSIC QUESTIONS

1. *Proclaimers;* **2.** *Eurythmics* **3.** *9;* **4.** *The Strathclyde Police Pipe Band;* **5.** *Calvin Harris;* **6.** *Fan-dabi-dozi;* **7.** *Jimmy Shand;* **8.** *The bodhran*

Frae page 73
WHA'S THE SONG?

1. *Scotland The Brave by Robert Wilson,* **2.** *Will Ye Go Lassie Go? By Robert Tannahill,* **3.** *Donald Where's Yer Troosers? by Andy Stewart* **4.** *Right Down The Line by Gerry Rafferty,* **5.** *Ordinary Angel by Hue and Cry,* **6.** *Vienna by Ultravox,* **7.** *Dignity by Deacon Blue,* **8.** *Sing by Travis,* **9.** *D.I.V.O.R.C.E. by Billy Connolly,* **10.** *Sunshine on Leith by The Proclaimers,* **11.** *In A Big Country by Big Country,* **12.** *Bye Bye Baby by the Bay City Rollers,* **13.** *Don't You Forget About Me by Simple Minds*

Frae page 75
PUT THAE PLACES IN ORDER O' RUDENESS

There are nae richt or wrang answers tae this! Fill yer boots!

Why no' hoof it o'er tae ***www.theweebookcompany.com*** an' get yer paws oan a FREE Wee Book? Jist leave yer email address an' doonload a hilarious Wee Book which is sure tae mak' ye laff yer wee socks auf.

If ye want tae send yer pals a smile, or tae treat yersel' tae a wee titter, jist hoof it o'er tae ***www.theweebookcompany.com/the-wee-book-shop*** tae order books an' cards which can be sent straicht tae the door – onywhaur in the wurld.

Keep smilin'!